GILBERT DELAHAYE
MARCEL MARLIER

martine

la surprise

Texte de JEAN-LOUIS MARLIER

casterman

Une mûre, deux mûres dans le panier.
Une mûre, deux mûres, trois mûres dans la bouche... quel délice !
Nicole, Jean et Martine éclatent de rire !

– Si tu les manges toutes, ton panier ne sera jamais plein, dit Nicole.

– Hummm... c'est tellement bon ! répond Martine. Et puis, il fait si chaud ! Moi, je ne bouge plus. Je reste ici, jusqu'à la fin des vacances !

Soudain, maman appelle :

– Martine ! Des nouvelles du Canada !

Aussitôt, Martine est debout. Elle se met à courir si vite que les autres ont bien du mal à la suivre.

– « Ils » annoncent leur retour avant la fin du mois, dit maman.

– Alors ils seront là le 30 août, pour l'anniversaire d'Hélène ! ajoute Martine toute joyeuse.

Nicole et Patapouf ne comprennent pas…

Que se passe-t-il ?

Qui est Hélène ?

– C’est elle, ta petite cousine du Canada ? demande Nicole.

– Oui ! Tu as vu comme elle est belle ! Il paraît qu’elle marche déjà, et puis elle sait dire plein de mots difficiles !

Martine est tellement heureuse qu’elle n’arrête pas de parler.

– Aide-moi, Nicole. Quand Hélène sera là, j’aimerais lui faire un beau cadeau… À ma place, qu’est-ce que tu lui offrirais ?

– Pourquoi pas une vieille pantoufle, pour se faire les dents ! propose Patapouf. Quand j’étais un bébé chien, c’était mon jouet préféré… Ou alors un os à moelle ! Ça fait toujours plaisir.

– J'aimerais tellement lui donner quelque chose de beau. Quelque chose qui vienne de moi, reprend Martine, comme...
Oh ! je sais ! Suivez-moi.
Et Martine entraîne Jean et Nicole dans le fond du jardin, en direction du vieux débarras.

– Il doit être ici, dit Martine
en poussant la porte.
– Qu'est-ce que tu cherches ?
demande Nicole. Si ce sont
des araignées, j'en vois plein !
– Je cherche un cheval.
– Un cheval ? Ici ?
– Oui ! Même qu'il se nomme
Pégase.

– Il est chouette, dit Nicole.
On peut l'essayer ?
Les fillettes éclatent de rire.
Elles ont les jambes bien
trop grandes, à présent !

CRRRAC !

Les rires s'arrêtent tout net.

La gorge nouée, Martine est au bord des larmes.

Elle l'aimait tant, son petit cheval.

– C'est grand-père qui l'a fait quand mon papa était petit. Puis, c'est le cousin Philippe qui l'a eu. Ensuite, il a été pour Jean et enfin pour moi. J'aurais tellement voulu l'offrir à Hélène...

– Allons, Martine ! ce n'est peut-être pas si grave ! dit Nicole, embarrassée. Mon oncle est menuisier. Tu sais, un menuisier, c'est comme un vétérinaire pour les chevaux de bois.

– Tu penses qu'il pourrait le remettre sur pied ? demande Martine...

Pas une seconde à perdre ! Vite, une ambulance pour le malade ! Pin-pon ! Pin-pon !

– Whah ! Whah ! Dégagez la route ! C'est pour une urgence ! aboie patapouf.

– C’est grave ? demande Martine à l’oncle de Nicole.
– Hum ! Je vais être obligé de couper les jambes en châtaignier et de les remplacer par du chêne...
Mais ne vous inquiétez pas, je vais bien le soigner et je peux déjà vous assurer qu’il galopera aussi vite qu’avant !

Pégase a passé une semaine entière chez le « vétérinaire ». Maintenant, il est guéri. Il ne reste plus que quelques heures pour lui refaire une beauté. Mais le temps presse.
Demain, Hélène sera là !
Allons ! De la peinture, des pinceaux…
La main ne doit pas trembler !

– C'est beaucoup de travail pour une si petite cousine, se dit Patapouf… Moi, je lui aurais donné un collier antipuce et c'était fini !

Attention ! La touche finale.
Il faut que le cheval retrouve
dans l'œil cette petite
lumière de vie
que Martine
lui a toujours connue...
Voilà, cette fois,
c'est super !

– Tu crois qu'elle va aimer son cadeau ? demande Martine, un peu inquiète.

– Bien sûr que oui ! Je le trouve magnifique, ce petit cheval. En le voyant, Hélène va certainement sauter de joie !

Le matin suivant, Martine, Jean et Nicole se sont levés tôt. Ils ont de la chance. La peinture est sèche. Mais pour que ce soit une vraie surprise, il faut un emballage cadeau. Vite ! Du carton, du papier, des ciseaux.

– Ne tire pas trop ! lance Martine.

– Donne-moi du papier collant, dit Nicole.

– Moustache ! Vas-tu laisser ces rubans ! Non ! Pas les griffes sur le papier.

– Tu vas tout déchirer, crie Jean.

Le temps presse, ils seront là d'un instant à l'autre.

– Ouf ! Voilà ! Tout est parfait.

Les heures passent, mais personne en vue.

Après s'être tellement dépêché, c'est bien long d'attendre.

– Alors ? Qu'est-ce qu'ils font ?

– Ne sois pas si nerveuse ! lance Nicole du haut de l'arbre. Viens plutôt faire le guet avec nous.

– J'entends une voiture, crie soudain Martine. Oui ! Ils sont là ! Ce sont eux !

– Bonjour, oncle André, bonjour, tante Lucie !
Bonjour, petite Hélène !
Mais blottie dans les bras de sa maman,
Hélène fait la timide. Qui sont
ces gens qu'elle ne connaît pas ?
– Je suis ta cousine Martine !
Tu viens avec moi ? Tu vas voir,
nous t'avons préparé une surprise…
Mais la petite fille apeurée détourne
le visage et se cache comme elle le peut.
– Allons Martine ! Laisse-la tranquille,
dit maman. Venez vous asseoir
et racontez-nous ce voyage. Qu'est-ce que
vous allez boire ?

Martine est très déçue. Elle attendait cette rencontre depuis si longtemps !

– Il faut la comprendre, dit Nicole ! Elle doit être fatiguée. Laisse-lui le temps de s'habituer à nous.

– Moi, je voulais qu'elle me saute dans les bras, j'espérais qu'elle vienne voir le cheval. Tout ce travail n'a servi à rien ! Regarde ! Elle ne veut même pas quitter sa maman.

– Je m'en charge ! dit alors Patapouf, qui s'avance en trottinant. Avec mon charme habituel, je vais facilement l'apprivoiser. Vous allez voir.

– Coucou, petite fille ! Je vois dans tes yeux que tu as très, très envie de me caresser…
Moi je veux bien, mais pour ça tu dois m'attraper. Ce ne sera pas facile. Attention, je suis ici ! Maintenant je suis là !

Prise au jeu, Hélène oublie ses craintes, et la voilà qui poursuit le petit chien en riant.

Patapouf court vers la gauche, s'arrête, repart, fait deux tours sur lui-même, puis file tout droit derrière l'arbre. Hélène croit pouvoir lui attraper la queue mais le petit chien s'échappe encore.

Le voilà près du cadeau.
Hop ! d'un bond, il est sur le paquet.

Scrach !...

Dans un grand bruit de papier déchiré, Patapouf passe à travers l'emballage.

Surprise, puis intriguée, Hélène commence à s'intéresser à ce cadeau géant. Elle aperçoit un œil, mais ce n'est pas Patapouf, c'est...

– Un cheval ! s'exclame-t-elle.
En quelques secondes,
le papier est arraché
et Pégase apparaît enfin.

Une porte s'ouvre…
Un petit pied prudent s'avance…
Hélène finit par s'asseoir.
Elle amorce quelques balancements timides.
Puis, peu à peu, comme le cheval semble
docile, la voilà qui accélère et qui se lance enfin
dans un grand galop. Toute fière de son audace,
son visage resplendit. Son rire sonne clair et loin dans tout le jardin.

Martine la regarde, heureuse.
Heureuse du bonheur d'Hélène,
heureuse de voir le cheval Pégase
emportant un nouvel enfant
vers de grandes chevauchées.

Patapouf, lui, a le mal de mer.
Il supplie pour qu'on le laisse
descendre.
Le cheval s'arrête alors.

La petite porte s'ouvre, Hélène
descend et se dirige vers Martine,
dans les bras de sa cousine…

et, après lui avoir fait un bisou
tout doux sur la joue, elle lui dit :
– Merci !

http://www.casterman.com
Imprimé en Italie. Dépôt légal octobre 2002; D. 2002/0053/310
Déposé au ministère de la Justice, Paris (loi n° 49.956 du 16 juillet 1949 sur les publications destinées à la jeunesse).
ISBN 2-203-10156-3 ISSN 0750-0580